Juanjo Rojas

Técnicas de relajación

Recupera tu equilibrio aprendiendo a relajarte

EDICIONES OBELISCO

Colección Libros singulares
Técnicas de relajación
Juanjo Rojas

1.ª edición: noviembre de 2013

Maquetación: *Montse Martín Martín*
Diseño de cubierta: *Enrique Iborra*

© 2012, Esther Blanes Muñoz (EMT)
(Reservados todos los derechos)
© 2013, Ediciones Obelisco, S. L.
(Reservados los derechos para la presente edición)

Edita: Ediciones Obelisco S. L.
Pere IV, 78 (Edif. Pedro IV) 3.ª, planta 5.ª puerta
08005 Barcelona - España
Tel. 93 309 85 25 - Fax 93 309 85 23
E-mail: info@edicionesobelisco.com

Paracas, 59 C1275AFA Buenos Aires - Argentina
Tel. (541-14) 305 06 33 - Fax: (541-14) 304 78 20

ISBN: 978-84-15968-06-1
Depósito Legal: B-17.957-2013

Printed in China

A mi niña, mi ángel, un ángel que me ayudó a levantarme del suelo, que creyó en mí y con el que hoy comparto mi vida, un ángel en forma de mujer que hace que mi lucha del día a día tenga luz.
¡Gracias, mi vida!
… Te quiero

A mis hijos, porque son parte de mí y me hicieron seguir luchando cuando no me quedaban fuerzas para hacerlo.
¡Os quiero, hijos!

Agradecimientos

A ti, tete, porque sé que te fallé, que muchas veces te hice llorar y nunca me dijiste que te hacía daño, gracias por seguir confiando ciegamente en mí, gracias por entender que nunca he querido hacerte daño aunque sé que «aquél» así quería hacértelo ver, pero no te preocupes, hijo, todo llega. Gracias por ser uno de los mejores creativos que conozco y gracias, sobre todo, por ser como eres… Te quiero.

A mi peque, por entenderme desde el principio, porque me has hecho muy feliz este último tiempo centrándote y luchando por nuestro futuro, que también será el tuyo. Te quiero, hijo.

A mi madre, porque aunque siempre ha estado a mi lado, este último año y, a pesar de volverla loca en algunas ocasiones, me ha sabido dar el empuje para que vuelva a vivir. Gracias, mamá, sabes que aunque no te lo diga… Te quiero.

A mi tata porque aunque casi ya no nos veamos, siempre estás en mi corazón. ¡Te quiero, Tata!

A Ana, gracias por 25 años de nuestra vida. Sólo decirte que, aunque no lo creas, si has leído este libro, en mi cajita hay mucho guardado y sólo deseo que seas muy feliz.

A Mari y Edu, por haberme querido siempre como a un hijo más, y a ti, Mari, desde arriba donde estás, sé que me has perdonado.

Al mundo de las terapias y a todo su equipo por haberme ayudado en este proyecto y por confiar en que podía hacerlo.

Y a ti, papá, porque aunque te fuiste pronto, en cualquier instante importante de mi vida has estado conmigo.

Y a todos los que de una u otra forma siempre están a mi lado y me continúan apoyando. ¡Mil gracias!

Presentación

Cuando recibí la llamada de la directora del portal www.elmundodelasterapias.com me quedé un poco sorprendido, ya que me estaba ofreciendo la posibilidad de escribir un libro sobre técnicas de relajación. En realidad no había escrito nada pensando en que se publicara, aunque sí que es cierto que me gustaba y me gusta escribir para mí, para compartir en ciertos momentos, pero entendía que escribir para que alguien te lea y le puedas ayudar era quizás mucha responsabilidad.

En principio le dije que no, que no estaba preparado para ello, que no tenía ni idea de qué hacer para llegar al lector. ¿Técnicas de relajación? Había leído mucho sobre ello, eso es cierto; había comprado todo lo que había visto sobre ese tema pero la realidad es que nunca me había funcionado. Su único argumento fue que quería algo escrito por una persona normal y corriente, sin técnicas aprendidas ni complejas, ya que conocía lo que yo personalmente había pasado y se sorprendía de mi serenidad para afrontar el día a día y superar todos mis problemas.

He de explicar que nos unía un amigo en común; él le había hablado de mí y de todo lo que en los últimos cinco años yo había vivido (más adelante daré alguna pincelada sobre ello). Lo cierto es que ese amigo en común sí vivió las cosas que yo había practicado para relajarme, y más tarde él las tomó como costumbre; simplemente se las había explicado a ella, así que me repitió que eso era lo que quería para poder trasmitírselo a los lectores de la colección que el portal producía.

Finalmente me convenció. Recuerdo que estuve varios días casi sin dormir dando vueltas sobre qué escribir, hasta que por último me di cuenta de que lo único que tenía que hacer para poder llegar a ti era contar mi historia.

Soy de una ciudad costera, tengo casi cincuenta años, estoy separado y tengo dos hijos. Mi vida hasta los últimos cinco años era tranquila; tenía trabajo, familia y poco más.

Hace cinco años empecé a vivir problemas de trabajo: de director de una compañía pasé a ser creativo dentro de la misma, pero con un gran afán de su dueño de desprenderse de mí, de modo que pasé un año horrible en ese trabajo, y allí empezó mi contacto con la búsqueda de esa paz interior para aprender a relajarme.

Recuerdo que a las dos del mediodía salía del trabajo y me iba caminando hasta la playa. Me llevaba una barrita de cereales para comer y me quedaba allí hasta las cuatro menos cuarto, hora a la que me marchaba para estar a las cuatro en punto en mi puesto de trabajo. Durante aquel tiempo, simplemente me quedaba contemplando cómo rompían las olas, el olor del mar, sus caricias en la arena, la gente paseando o bañándose dependiendo de la época del año.

Disfrutaba tanto de aquellos instantes que el tiempo se me pasaba en un suspiro. Allí buscaba dentro de mí la tranquilidad que me permitiera poder salir de aquellos problemas. No podía enfrentarme a ellos, no podía marcharme porque había vínculos empresariales que me hubieran destrozado la vida y la de mi familia, así que no tenía más remedio que aguantar y luchar hasta el final.

Aquellos instantes en el mar me calmaban; solía pensar en lo bueno que me daba la vida, en poder disfrutar de esas olas. Buscaba siempre acercarme lo máximo que podía para que las pequeñas gotas salpicaran mi cara y ese instante me llenaba de felicidad. Allí empecé a aprender mi propia forma de relajarme, que explicaré en el capítulo destinado a técnicas de relajación.

Después de aquel año horrible llegué a un acuerdo con la empresa, y desvinculado ya de todo lo que me relacionaba a nivel bancario con aquella compañía, empecé a trabajar para mí. Monté mi propia empresa y así estuve un año, disfrutando de mi trabajo y viendo que todo me iba bien, incluso olvidé aquellos momentos en los que parte de la naturaleza me llenaba y me daba oxígeno para seguir el camino diario.

Un día, un «amigo» (lo pongo entre comillas porque con el tiempo me demostró que la palabra amigo no significaba nada para él) me llamó; me explicó que le habían despedido y que estaba sin trabajo. Le pedí que nos viéramos y le ofrecí lo que podía, que en aquel momento era darle una oportunidad para luchar juntos por mi empresa.

Recuerdo el día que nos vimos. Nos citamos en aquel lugar mágico que un tiempo antes me había hecho soportar un infierno laboral. Comimos en uno de los restaurantes de la playa y estuvimos paseando largo tiempo sobre el espigón que meses antes había iluminado mi rostro con sus pequeñas gotas. De repente empezó a oscurecer, justo cuando yo le estaba proponiendo iniciar nuestra sociedad. En ese momento empezó a iluminarse el cielo con rayos; lo primero que piensas es que se está aproximando una tormenta, así que no le dimos importancia y seguimos caminando, aunque a un paso más acelerado.

La conversación sobre la empresa proseguía, y en el momento de recibir su respuesta un rayo cayó sobre nosotros y terminó en la barandilla del paseo. Nos dio un susto increíble pero no nos pasó nada. Creo que sería por el calzado (no lo sé), él inmediatamente me insistió en que era una señal, que debíamos emprender ese camino juntos, así que yo acepté. (Después de estos años, mi único pensamiento es que aquel mágico sitio me estaba avisando de la locura que iba a cometer y que me avisó con fuerza, pero no lo supe entender en ese momento).

Nuestro primer año fue increíble. Funcionábamos bien, estábamos muy unidos tanto personal como empresarialmente, nuestra empresa empezó a crecer en proyectos y personal, hasta que la ambición nos cegó. En ese momento todo empezó a ir mal y nuestra relación se rompió hasta el punto de acabar con nuestra empresa y dejar que me lo arrebatara todo, absolutamente todo (prefiero dejarlo aquí porque, como siempre digo, la vida da muchas vueltas y tarde o temprano pone a todos en su lugar).

En aquel tiempo, y también debido a todo ello, me separé. Tuve que huir, me sentía morir cada día, aquel infierno laboral que había pasado tiempo atrás se quedó en algo anecdótico. Tuve que irme a vivir con mi madre. Después de veinticinco años de matrimonio, no tenía trabajo ni dinero ni ganas de vivir, y sólo tenía el objetivo de volverme a levantar para que mis hijos se sintieran orgullosos de mí. Y en ese momento sí que tuve que volver a recodar aquellas «técnicas» o formas de relajarme que un día me ayudaron a no volverme loco.

Con este pequeño libro no pretendo desvirtuar ningún sistema; ni siquiera hablaré de ellos. Intentaré explicar cómo he podido con todos los problemas simplemente apoyándome en la naturaleza y en cuatro formas de intentar desconectar en los momentos más complicados.

Además, en el audiovisual que adjunto, he incluido unos vídeos grabados por mí en el año 2005, en los que encontrarás ríos, montañas, cascadas, mar, bosques, etcétera. No he querido que incluyeran música porque creo que cada uno debe disfrutarlos a su manera y la música es muy personal. Esos vídeos son un buen principio para disfrutar y encontrar tu propia relajación.

A mí me han servido para romper momentos de crisis, instantes muy duros y, si no hubiera sido por ellos, me hubiera costado mucho poder poner en práctica mis técnicas. Quizás sea un tópico, o algo muy personal, pero me ponía los auriculares y escuchaba el mar, el agua de los ríos, los pájaros… Aquellos sonidos me serenaban y me permitían poder disfrutar de mis técnicas y, por qué no, de la vida.

El poder de la mente

Nuestra mente tiene un poder increíble, sólo debes pensar un poco en situaciones que nosotros mismos nos creamos.

Cuando nos enfadamos con quien nos importa, por poner un ejemplo, nos montamos una película que nada tiene que ver con la realidad, y lo peor es que estamos convencidos de ello, mantenemos esos criterios por encima de todo; luego, cuando nos «bajamos del burro», o cuando hablamos sobre ese tema, nos damos cuenta de que todo lo que nos habíamos creado era una pájara mental, pero cuando nos vuelve a pasar, sucede lo mismo. No aprendemos, y todo eso es un pequeño ejemplo del poder de nuestra mente. Sentimientos, sensaciones, películas... Es capaz de producir de todo, hasta pánico creado por nosotros mismos, tal es nuestro poder.

Muchas veces no nos damos cuenta, pero los problemas cotidianos, esos que no nos dejan disfrutar de todos los momentos buenos que nos puede aportar un día por muy malo que sea, son culpa de nuestra mente, por lo que creo que es importante relajarla, romper el ritmo de ese «crear cosas que nos hacen daño». Con el tiempo verás cómo podrás ir dominándola aunque sea sólo un poco.

Fíjate en un ejemplo muy simple: ¿cuál es el órgano sexual más activo? Muchos pueden pensar que el pene en el hombre y la vagina en la mujer. Pues no: es la mente, ya que sin ella, el sexo se convierte en un acto mecánico. Si tu mente no está tranquila y no participa en todo momento creando y recreando, nada funciona; quizás no puedas ni tener una erección, y la mujer tal vez no llegue nunca al

orgasmo. Es increíble pero es así, de manera que deja volar tu mente y tendrás el mejor sexo que te puedas imaginar.

Podría poner miles de ejemplos; engañarla es relativamente fácil. Un amigo mío me contaba un día, para explicarme cómo romper un bucle de problemas por la noche en la cama, algo tan sencillo como aquello que nos decían nuestras madres cuando éramos pequeños y no podíamos dormir, aquel «cuenta ovejitas», ¿te acuerdas?

Pues es así de simple. Si las cuentas, engañas a tu mente y dejas de pensar en las cosas que te preocupaban en ese momento. Así, cuando no podíamos dormir porque habíamos visto una película de miedo, simplemente volviendo a contar ovejitas todo aquel temor desaparecía y nos quedábamos dormidos.

Nuestra mente es capaz de influir en nuestro estado físico. Si alguien hace un comentario que no nos gusta, eso nos produce enfado y éste hace que nuestras emociones cambien, de manera que el estado físico se resiente; si, por el contrario, el comentario es bueno, todo cambia, nuestras emociones giran en torno a la felicidad y eso también hace que nuestro estado físico cambie hacia mejor.

Con esto quiero decir que, para mí, ésos son los principios de la relajación. Si controlamos nuestra mente, podremos controlar nuestro estado de ánimo y llegar a un estado de relajación óptimo, y con ella conseguiremos sentirnos felices y positivos evitando posibles enfermedades somatizadas en nuestro organismo por todos los estados emocionales negativos.

¿Qué es la relajación?

Quizás tendría que hablar de lo que cuenta la gente sobre la relajación, pero yo creo que no es necesario. ¿Por qué? Pues porque es algo muy simple. Para mí, y en mi modesta opinión de practicante no instruido en ninguna terapia, la relajación simplemente consiste en encontrar el estado en el que uno está tranquilo, donde se siente paz mental y, por tanto, con calma en nuestro cuerpo.

Para relajarnos nos pueden servir infinidad de cosas; cada individuo es un mundo, cada persona lleva dentro de sí su propia esencia, y explicar o imponer hacer algo quizás no serviría porque todos somos diferentes. Los principios o resultados sí que pueden ser los mismos pero la forma de obtener la relajación, no.

Hay muchos «gurús» que intentan imponer sus métodos, como los de relajación absoluta, haciendo simplemente hincapié en que sus sistemas provienen de aquí o de allá, pero yo aseguro que el resultado final es el mismo; simplemente, no hay más, cualquier cosa que nos haga alejarnos de la preocupación que nos invade nos está ayudando a relajarnos.

Cierto es que cuando los problemas son muy complicados debemos asistir a profesionales para que nos ayuden, porque si ponemos orden en nuestra mente, relajarnos nos resultará mucho más sencillo.

Imagínate algo con lo que te sientas bien, sin importar lo que sea, simplemente interactúa con ese instante, y verás cómo en unos pocos minutos, si centramos nuestra atención en ese pensamiento, todo lo demás desaparecerá de nuestra mente, con lo que indica que ya estamos entrando en un estado de relajación.

No debemos olvidar que lo ideal es sentirnos relajados el máximo tiempo, sentirnos bien y felices, ya que nos ayuda a estar mejor físicamente, y eso produce cambios internos que nos permiten tener una mejor calidad de vida.

Así, para sentirnos mejor, cada día deberíamos disponer de tiempo para relajarnos, tal como hace la gente que medita (ahora hablaremos de ella). Si incorporamos en nuestros hábitos diarios unos minutos para practicar la relajación, te aseguro que nuestra actitud hacia la vida cambiará.

La meditación

Durante algún tiempo me aficioné a practicar la relajación. De hecho, leí mucho sobre cómo se debía hacer, los diferentes tipos que existían y qué beneficios se obtenían. En mi opinión no existe demasiada diferencia entre meditar y relajarse, pero los expertos dicen que sí, y yo no voy a discutirlo.

Meditar es sencillo, simplemente debes tener en cuenta unos principios fundamentales, que son la postura, la concentración y el despertar.

La postura

Quienes la practican siempre aconsejan que se haga sentado. Es posible permanecer en el suelo o en una silla, y puedes tener las piernas rectas o cruzadas hacia dentro del cuerpo, lo que se denomina posición del loto. No aconsejan que se haga estirado, ya que podemos quedarnos dormidos, pero, como siempre digo, es preferible que te coloques como te sientas mejor.

La concentración

Éste quizás es el punto más importante. Recuerdo que un amigo que la practicaba siempre me hacía empezar con recorrer todas las partes de mi cuerpo para entrar en el primer estado; me hacía sentir cada parte de él para saber que todas ellas se sentían cómodas y correctamente preparadas para empezar la meditación, y después siempre me daba estas tres opciones:

◀ CENTRARNOS EN UN OBJETO, cualquiera. Él generalmente se centraba en un mandala que tenía en su habitación. Lo trajo de Nepal y se pasaba minutos mirándolo. Yo, en cambio, nunca pude conseguir entrar en estado de meditación con aquella opción pero él, sin embargo, siempre lo conseguía. Algunas veces la habíamos practicado fuera de casa, encendía una vela y la miraba fijamente.

◀ CENTRARNOS EN NUESTRA RESPIRACIÓN. Ésta es mi opción favorita, quizás porque es similar a una de las técnicas que yo utilizaba en mis relajaciones y me resultaba muy simple. Se basa en acompañar mentalmente nuestra respiración, sin forzarla, ni haciendo que cambie su ritmo, algo que resulta de gran importancia.

◀ CANTO DE MANTRAS es otra técnica muy usada por todo aquel que medita. Se basa en centrar la mente en el canto, lo que hace que todo lo demás desaparezca. Normalmente se usa el sonido OM, y su objetivo es decirlo cada vez que un pensamiento invade la mente.

Despertar

Asimismo es muy importante saber despertar. Cabe destacar que no hay que hacerlo de forma brusca, sino de un modo suave para volver a la realidad poco a poco y así hacer que ese tiempo en el que hemos estado meditando nos haya ayudado a estar más serenos y relajados.

Quisiera exponer que, aunque respeto la meditación como algo que nos ayuda, mi opinión personal es que la relajación tiene el mismo fin. Supongo, y debo entender, que quizás nunca aprendí a meditar de forma correcta.

¿Por qué debemos sentirnos relajados?

Debemos pensar que sentirnos bien es nuestro estado natural. De hecho, siempre ha habido preocupaciones, pero es verdad que hoy en día, desde que nos levantamos, si no tenemos un problema, tenemos otro, ya sea pagar la hipoteca, nuestros hijos, esto o aquello que debemos comprar, pagar el automóvil… Siempre hay algo que nos taladra la cabeza y que no nos deja sentirnos bien; por ello, hago hincapié en que, al menos un rato al día, debemos intentar encontrar el equilibrio para sentirnos en ese estado de tranquilidad que nos ayude a vivir momentos de felicidad con nuestros padres, con nuestra pareja, con nuestros hijos, con nuestros amigos y por qué no, en nuestra soledad.

Piensa en el instante en que volvemos a casa, arrastrando todos los problemas que el día nos ha traído, o simplemente que no hemos podido o sabido resolver. Ese runrún nos hará estar aislados de nuestra gente y bloquearnos; por ello son necesarios esos minutos para desconectar de ellos. En este sentido, tan sólo diez minutos hacen que tu relación con el mundo cambie, que los que están a nuestro lado se sientan mejor y eso, al mismo tiempo, hará que nosotros también nos sintamos a gusto con ese momento.

¿Influyen nuestros hábitos para sentirnos relajados?

Dime, ¿qué quieres leer? Puedo dejar que tú pongas el texto. ¿Quieres leer lo que no debemos hacer? Creo que todos lo sabemos, por ello no voy a decir que rompas esos hábitos, no voy a comentar que dejes de fumar, que dejes de comer cosas dulces, que hagas ejercicio, que lleves una alimentación equilibrada. *¿Por qué?* Pues porque tú ya sabes lo que está bien y lo que está mal. Evidentemente, si tienes hábitos más «oscuros» sí debes intentar deshacerte de ellos, pero los normales creo que deben arreglarse con tiempo, con ayuda de profesionales, si es necesario, y con muchísima voluntad.

¿Crees que te resultaría de ayuda si te pongo una dieta increíble o si te digo que dejes de fumar? Por supuesto que a la larga sí, y que debemos intentar vivir una vida sana, pero ponerte retos, hacer grandes esfuerzos cuando te sientes agotado, desanimado, estresado, cansado, triste… es uno de los peores momentos y, aunque lo intentes, no te servirá, e incluso aportarás más estrés y peor estado anímico a tu vida. Busca y espera el momento en el que tú te sientas bien contigo mismo, en el que te encuentres fuerte y capaz, y entonces sigue adelante con tus cambios y tus retos.

Yo lo reconozco: fumo, tengo kilos de más, quiero ordenar mi vida, y sé que ahora que he conseguido la estabilidad mental y emocional podré deshacerme de esos hábitos que soy consciente que perjudican mi salud, pero todo necesita su tiempo, y lo más importante para empezar con los cambios es estar preparados mentalmente y en un estado de tranquilidad emocional.

Todos sabemos lo que está bien y mal, todos hemos leído cuál debería ser nuestro estado óptimo de bienestar en cuanto a hábitos, alimentación, ejercicio físico o a la hora de estar en armonía en nuestro hogar, pero para todo ello nuestra mente debe estar preparada para afrontar todos esos cambios, y cuando no estamos bien, eso es imposible. Yo también he intentado cambiar mis malos hábitos. ¿He podido relajarme? Sí, pero cuando pasó el estado de relajación he sentido de nuevo ganas de romper con todo y volver a mis malos hábitos, dejándolo de nuevo para más tarde. Piensa que la relajación por sí sola es como tomarse una pastilla cuando te duele algo, notas el efecto en ese momento, pero lo que no funciona sigue estando dentro de ti, por eso siempre debes tener en cuenta que relajarte te tiene que servir de ayuda para poder ver con más claridad los problemas; debe ayudarte a buscar soluciones, a ser fuerte y a crecer, y, una vez que lo consigas, serás el único «todopoderoso» capaz de realizar cualquier cambio en tu vida, sea cual sea.

Hablemos de la respiración

Sin duda, mi querido lector, la respiración es una parte importantísima, no sólo para relajarnos, sino también para vivir. Muchas veces, yo, con mis paranoias, comienzo a pensar en la sabiduría del cuerpo, ese motor que, estemos en el estado de conciencia que estemos, sigue funcionando, y que simplemente es alucinante.

La única recomendación que quiero hacer es que siempre debemos respirar por la nariz. Es cierto que en estados de nerviosismo, o simplemente cuando hablamos y no somos conscientes de ella, lo hacemos por la boca, pero debemos aprender a hacerlo siempre por la nariz, y por un motivo muy sencillo: en la nariz existen unos pelillos que cumplen la función de filtro para el polvo, para los ácaros y para todo lo que no vemos, mientras que en la boca eso no existe, y no respirar de manera correcta nos puede causar, a la larga, problemas físicos.

Respirar bien es fundamental. Sinceramente, hay cosas que todavía no he llegado a entender a nivel científico, aunque sí a causa de la práctica. Hay profesionales que argumentan que la respiración perfecta debería ser la completa, de la que hablaré a continuación, que yo, sin embargo, y como explicaré más tarde, practico al principio de la técnica de la respiración.

Imagino que con la práctica y con la ayuda de alguna terapia o profesional se puede llegar a respirar bien, pero debo decir que nunca se ha convertido en una obsesión para mí.

Según los expertos existen cuatro tipos de respiración:

◀ Respiración abdominal.
◀ Respiración costal.
◀ Respiración clavicular.
◀ Respiración completa.

Como su nombre indica, son las diferentes formas de hacer llegar el aire que inspiramos hasta esas partes de nuestro cuerpo. A continuación se comenta la respiración completa, que es la que nos recomiendan los expertos para los ejercicios de relajación, y es la que, tal y como su nombre indica, hace que el aire llegue y llene el abdomen, los costados y el pecho.

Hagamos un pequeño ejercicio que servirá para entenderla:

▶ Inspira lentamente por la nariz y lleva el aire hacia el bajo abdomen.

▶ Sigue inspirando y llenando la parte media del pecho y los costados, poco a poco.

▶ Después, sigue inspirando para llenar la parte más alta del tórax (no debes realizar fuerza en ningún momento; si nos vemos obligados a espirar o inspirar de golpe es que hemos superado nuestra capacidad).

Al espirar invertimos el proceso:

▶ Espira vaciando la parte superior del tórax.

▶ Sigue espirando y prosigue con la parte media del pecho y los costados.

▶ A continuación, vacía el abdomen hasta expulsar todo el aire del cuerpo.

Como ves, es simple, y este ejercicio que has realizado te resultará de ayuda para el capítulo de las técnicas, porque ya sabes realizar una respiración completa.

¿Por qué el DVD
con vídeos de la naturaleza?

Te preguntarás por qué no explico todo esto en el DVD, y, sin embargo, incluyo esos minutos de vídeos de la naturaleza. Pues bien, como he dicho en la presentación, la naturaleza me fue de gran ayuda. Simplemente, esos ratos junto al mar me serenaban y cada día que pasaba yo mismo elaboraba mis propios métodos o técnicas, hasta que llegó el momento en el que el simple hecho de pensar en ese instante hacía que un problema puntual no tuviera la más mínima importancia. Por ello, quiero compartirlos contigo, porque al menos para mí, ver y oír el mar, escuchar el agua bajando por un río, o simplemente oír algún pájaro mientras admiro el bosque o las montañas me ayudó y aún ahora me ayuda muchísimo.

Recuerdo que, cuando vivía con mi madre, ella se marchaba por la mañana para cuidar a los hijos de mi hermana y yo me quedaba en casa. Me sentía solo, no tenía ganas ni siquiera de salir a la calle, todo el día estaba en pijama, encendía mi portátil y sólo buscaba imágenes que me trasmitieran paz. Conseguí recuperar las cintas con las imágenes que se encuentran en el DVD; por ello quiero compartirlas contigo, porque han sido importantes para conseguir estar bien, y siempre son el principio de cualquier técnica que practico en la actualidad.

Verás que en el DVD hay imágenes de ríos, de bosques, de mar, de montañas, de cascadas, de nieve, etcétera, todos ellos grabados por mí como explicaba al principio. Me encanta acercarme al Pirineo sea la época del año que sea, o ir al mar en invierno, ya que ese contacto con la naturaleza me recarga y renueva. Sé que muchos de vosotros posiblemente no podréis desplazaros e ir al mar, o acercaros a la montaña para recargar energía como yo, y por ello quiero compartir esa maravilla, para que en aquellos momentos en los que necesites esa fuerza la tengas a mano. En mi opinión, eso es mejor que volver a repetir en el DVD todo lo que explico en el libro.

También puedes encontrar algunas relajaciones guiadas (que, como sabes, no me gustan, porque yo prefiero crearlas a mi manera y en el momento adecuado) para que puedas practicarlas si lo deseas.

*Hagas lo que hagas, crea siempre tu momento
con lo que necesites para sentirte bien.*

¿Qué necesito para empezar?

Nada, solamente las ganas de querer sentirte bien y de desear poner un paréntesis en tu vida para que te recargue y te renueve. Es así de simple.

El lugar

Para empezar, debemos buscar un lugar que nos trasmita paz y serenidad. Aunque esto no siempre sea posible, no te preocupes, si no puedes buscarlo, ya lo harás en el momento en que puedas.

Lo que sí es importante es que, estés donde estés, te sientas bien, que ese lugar te permita cerrar los ojos y sentir que nada te preocupa o interfiere en tu relajación.

Cuando estaba casado, tenía un rinconcito en mi habitación donde tenía mi ordenador. El piso era pequeño, así que para crearme mi espacio simplemente coloqué un budita (que desde entonces me acompaña) y un incensario para poner una barrita siempre que realizaba alguna técnica, de manera que es muy sencillo. Si no puedes crearte tu espacio, incluye elementos que te hagan creer que ese rincón es tuyo. Piensa que cualquier elemento que te haga estar bien te ayudará a relajarte.

La ropa

En cuanto a la ropa, lógicamente, si estás en casa, ya estarás cómodo. Lo que menos importa es la vestimenta. A mí, personalmente, cuando llego a casa me gusta ponerme el pijama, y si no voy a salir de casa en todo el día me pongo un chándal al levantarme; sin embargo, lo que verdaderamente importa es que te sientas bien. Mi hijo mayor, por ejemplo, se viste de ropa de calle por la mañana y hasta que no se acuesta no se la quita, porque así es como él se encuentra a gusto, de manera que viste del modo que te sientas cómodo.

El ambiente

El ambiente lo creas tú. A mí, por ejemplo, me encanta poner un poco de música *chill out*, encender unas velitas, una barrita de incienso y una fuente de agua que tenemos. Considero que todo junto me hace estar más relajado, aun sin practicar ninguna técnica. Pero no debes preocuparte; adapta el ambiente a como te sientas bien; es algo semejante al lugar: todo lo que te haga estar bien es perfecto.

Los aromas son importantes. No es lo mismo relajarme con el aroma a incienso que con el de sardinas a la plancha. Puede ocurrir que no te guste el olor del incienso y sí el de las sardinas, así que, como ves, nada es perfecto para todos; por ello, tú debes crear tu propio espacio.

En tu mente, una simple gota de lluvia
puede convertirse en un torrente infernal
que no te deje vivir.

Técnicas de relajación

En este capítulo fundamental del libro quiero compartir las cuatro técnicas que, poco a poco, he ido depurando. Se trata de técnicas muy sencillas y que me han ayudado en diferentes momentos. En función del lugar donde me encuentre practico una u otra, simplemente porque algunas requieren estar tranquilo en casa y otras, sin embargo, se pueden practicar donde se quiera.

Las cuatro técnicas son:

- El mundo que nos rodea.

- La respiración consciente.

- Visualizar la energía en forma de luz.

- La cajita.

Explicaré cada una de ellas de una forma muy práctica, pero como no dejo de repetir, crea tus propias técnicas con lo que mejor te haga sentir; no dejes que un libro te marque qué debes hacer. En mi caso, por mucho que leí, hasta que no necesité crear las técnicas yo mismo, no pude entender que siempre debemos ser nosotros los que creemos nuestro propio método.

Al final de este capítulo comentaré una técnica que practicamos mi pareja y yo. No la incluyo en las técnicas porque no se realiza en solitario. Asimismo, debo comentar que tiene una parte más

carnal, ya que muchas veces se convierte en el preámbulo del acto sexual.

Te preguntarás cómo llegué a crear mis propias técnicas, si fueron un reflejo de las cosas que leía o si surgieron solas. En este sentido, mi primer contacto con la relajación se produjo en la década de 1980, cuando me compré un cassette que se llamaba «Técnica de relajación mental» y donde decía simplemente que te ayudaba a relajarte. Me acerqué a ella no porque necesitara relajarme, sino porque aquel campo ya me apasionaba. Todavía la conservo, aunque ya, por desgracia, ni se oye bien. En ese cassette se mostraba una especie de relajación guiada: se hablaba de cómo ponerte cómodo, de imaginar un prado, de sentirte feliz, y luego te hacían visualizar unos números.

Todo aquello era nuevo para mí y, poco a poco, empecé a leer sobre todo lo que llevaba la palabra relajación, hasta el punto de que cuando verdaderamente lo necesité, nada de aquello me ayudaba; no podía concentrarme porque sabía qué paso venía después.

En realidad, no podía crear una relajación de algo que era cuadrado, por eso ese tipo de métodos no me servían, y, por ese motivo, el día a día, el hecho de vivir cada momento me hizo crearme las mías propias, unas técnicas que cambiaban en cada momento porque siempre eran diferentes.

No voy a decir que la técnica de la respiración o la de la energía es diferente cada vez, pero sí que no es cuadrada, ya que en función de cada momento mi visualización de las partes del cuerpo es distinta.

Tampoco he inventado o creado nada; todas ellas tienen fundamentos o puntos en común con otras técnicas, aunque sí que hay que decir que están adaptadas a lo que necesitaba en ese momento, por ello tengo que destacar que tienen una parte de mí, y las tuyas, aunque se basen en éstas o en otras, serán tuyas simplemente porque contendrán algo de ti.

Ponte cómodo, y al menos intenta entender lo que te quiero trasmitir. Comprobarás que si te dejas llevar, en un momento te sentirás mejor.

Primera técnica.
El mundo que nos rodea

Esta técnica fue la primera que surgió y es muy sencilla.
Como me pasaba mucho tiempo contemplando el mar, su principio es el de fijarse en cada uno de los elementos que tenemos a nuestro alrededor, relacionarlos entre sí y extraer de ellos todo lo que nuestra mente nos dicte, tan solo eso. A continuación relataré cómo lo viví en aquellos días y verás que puede surgir sola.

Como ya he explicado, salía de trabajar a las dos del mediodía y tenía la gran suerte de estar cerca de la playa, a unos diez minutos caminando, así que ya por el camino mi mente empezaba a tranquilizarse por todo lo que me había pasado aquella mañana. Tenía muchísimas ganas de llegar. Aunque los primeros días de práctica eran difíciles, poco a poco esto fue cambiando, porque podía sentir los resultados siempre que terminaba y volvía al trabajo lleno de energía y optimismo.

Cuando llegaba al espigón donde estaban las rocas, buscaba el mejor sitio para sentarme frente al mar y cerraba los ojos durante unos instantes; simplemente me dedicaba a sentir sus aromas, que en cada época del año son distintos.

Mi mente seguía recorriendo los problemas. No dejaba de ir de un lugar a otro. En aquellos momentos me daba igual porque sabía que en pocos minutos me centraría en la técnica y todo cambiaría.

Trascurridos esos minutos, hacía unos ciclos de respiración, inspiraba y expiraba tranquila, pero profundamente, y cuando creía que me había tranquilizado un poco, entonces abría los ojos y miraba a mi alrededor.

Observaba lo que estaba delante de mí: el mar, las boyas, los barcos, gente paseando, las gaviotas… Entonces elegía algún elemento en el que mi mente se centrase, mientras respiraba tranquilamente.

En un principio me centraba en el mar, en el color que tenía aquel día, y volvía a intentar sentir su olor. Seguía sus olas hasta que rompían en las rocas. Primero, algún que otro pensamiento se entremezclaba con todo aquello, pero tan sólo decía mentalmente «no» y de inmediato volvía a centrarme en mí y en el mar. Me pasaba muchos minutos siguiendo aquellas olas, jugaba a intentar adivinar qué ola chocaría con más furia en la rocas, cómo sería su fragmentación en pequeñas gotas. Imagínate lo que puede dar de sí el mar: miraba las gaviotas, pensaba de dónde vendrían o adónde irían, por qué una estaba sola; en fin, cientos de cosas que me hacían interactuar con el mar. Como he explicado, esa parte es muy importante. Es mucho más fácil y da mejores resultados que relaciones los elementos entre sí, y de este modo verás cómo siempre tendrás algo que analizar.

Me fijaba en la gente que paseaba, algo que de verdad me apasionaba. La verdad es que me gusta mucho observar a la gente, pero no cómo visten ni nada parecido, sino cómo actúan, si van solos, cómo se comportan los que van acompañados, etcétera. Solía intentar adivinar qué tipo de conversaciones mantenían por los gestos que hacían o por las miradas, si iban cogidos, por qué habían venido hasta el mar para pasear, qué magia tenía aquel sitio para atraerlos, y siempre pensaba que aquel lugar también les daba fuerza para seguir con su día a día.

Disfrutaba mucho viendo los barcos, aunque algunos casi no se distinguieran, pero me creaba mis propias cavilaciones: intentaba situar a gente en ellos, pensaba cómo serían aquellas personas, cuál sería su relación. En definitiva, lo más importante de esta técnica es tener la mente ocupada en cientos de cosas, que pueden llenarte verdaderamente y hacerte vivir otra realidad que no deja de ser la de uno mismo y la de su interior. Te aseguro que funciona porque después de pasarme más de una hora analizando mi alrededor, mi mente estaba tranquila. Aunque había estado trabajando en todo momento, había dejado al margen los problemas y en ese espacio de tiempo habían carecido de importancia.

Después de aquel rato, volvía a cerrar los ojos respirando tranquilamente y volvía a centrarme en el mar hasta que me sonaba la alarma del móvil indicándome que ya era la hora de marcharme.

Como se advertirá, es una técnica muy simple que se basa en el mismo principio que todas las cosas, es decir, despejar tu mente de los problemas que te acucian centrándote en otras cosas, lo que no significa que cuando tomes contacto con la realidad, esos problemas se hayan resuelto, pero sí que es cierto que los vemos de otra forma y que tendremos fuerza para poderlos afrontar.

Personalmente recomiendo empezar con esta técnica. Casi con seguridad la habrás practicado en muchos momentos, la única diferencia es que no eras consciente, que ha estado activa durante poco tiempo y que al omitir la respiración inicial y final, no has notado cambio alguno en tu mente, por lo cual no has conseguido relajarte.

En nosotros hay una fuerza interior
que ni te imaginas; practica la relajación
y verás cómo te ayuda a ver con más claridad
los problemas y quizá te des cuenta de que no lo son.

Segunda técnica.
La respiración consciente

Esta técnica también es muy simple, y, bajo mi punto de vista, todas las técnicas de relajación están basadas en ella.

La respiración nos libera de tensiones y siempre está presente. Nos regula haciéndose más agitada o más lenta en función de lo que nuestro cuerpo necesite, y lo único que debemos tener presente para que nos ayude a relajarnos es seguirla.

Lo verdaderamente importante es no intentar nunca cambiar su ritmo, ya que eso nos traería problemas, aunque comprobarás que es muy sencillo seguirla.

Para esta técnica recomiendo que te sientas cómodo, con una ropa que no te resulte molesta, y el lugar debería ser lo más tranquilo posible. La posición perfecta sería estirado, aunque sentado también puede resultar agradable.

Recomiendo que pongas, si es posible, el DVD que acompaña al libro y que elijas el vídeo que mejor te haga sentir; si es el mar, simplemente ponlo a un volumen que te permita escuchar las olas; el sonido del río, el bosque, o lo que te haga sentir mejor.

Visualízalo unos minutos, mientras te fijas someramente en lo que aparece en él y déjate llevar.

Para empezar, y suponiendo que estamos estirados:

▶ Realiza varias respiraciones de forma tranquila, intentando tomar consciencia de que en pocos minutos te vas a relajar. Cierra los ojos y, antes que nada, céntrate en tu mente.

> Imagínate que estás en una habitación oscura que tiene dos ventanas; en una ves cómo entran los pensamientos y en la otra cómo salen; deja un par de minutos para que los pensamientos circulen libremente por esa habitación, entrando y saliendo.

> Trascurrido ese tiempo, simplemente cierra la ventana de entrada y deja que salgan los pensamientos que hay en la mente. En ese momento, mira a tu alrededor y observa que ya no hay nada, sólo oscuridad.

> A partir de este momento céntrate en la respiración: realiza un par de respiraciones completas (como hemos visto en el capítulo de la respiración), luego coloca la palma de la mano derecha en el ombligo y la de la mano izquierda en el pecho, y comienza a realizar lo que se denomina respiración abdominal.

> Inspira por la nariz llevando el aire al abdomen hasta que notes que la mano derecha se eleva; no tienes que forzar nada, puesto que saldrá solo; si al principio te parece complicado no te preocupes, inténtalo a tu ritmo y verás que poco a poco te va saliendo mejor. Una vez veas que la mano derecha se ha elevado con tu respiración, suelta el aire por la boca. Realiza un ciclo de cinco respiraciones abdominales.

¿A que ahora te sientes más relajado? Bien.

> Ahora, y mientras respiras de forma normal, pero siempre teniendo la respiración presente, céntrate en cada parte de tu cuerpo. Elige una parte de él. Empieza por los pies: visualízalos mientras respiras; notarás que están, toma conciencia de su presencia. Incluso puedes verlos, siéntelos, acarícialos con tu mente; posteriormente sé consciente de tus piernas; recorre su longitud, nota su calor, visualízalas; luego pasa a los genitales, nótalos, y por qué no, juega mentalmente con ellos, ya que hará que te sientas mejor; pasa al abdomen y recuerda cómo ascendía cuando has hecho la respiración abdominal, nota su presencia; ahora sube hasta el pecho y observa cómo la respiración surge de él, cómo esa res-

piración llega a todas las partes de tu cuerpo, distribuyendo la energía necesaria para que todo funcione; sigue con los brazos, con las manos, con el cuello y, finalmente, con la cabeza.

No tengas prisa, recréate en cada parte de tu cuerpo mientras eres consciente de la respiración que llega a ese lugar y le hace vivir e irradiar energía.

▶ Cuando termines de recorrer cada parte de tu cuerpo, vuelve a tomar conciencia de la respiración, acompáñala; es indiferente que sea de tórax o de abdomen, lo importante es que la sigas y la disfrutes, pero sobre todo no intentes alterarla.

▶ Y ahora es el momento de volver. Céntrate en escuchar de nuevo el sonido del DVD durante un par de minutos, y, poco a poco, abre los ojos para tomar contacto de nuevo con la realidad.

Como ves, también es una técnica muy sencilla. Su función consiste en que no pienses en nada más; has dejado los pensamientos fuera de esa habitación que es tu mente, y eso ha hecho que te sientas mejor; es un principio muy sencillo.

Disfruta de la relajación, no dejes entrar
pensamientos que te hagan daño;
respira y escucha cómo la naturaleza
nos ayuda a sentirnos mejor.

Tercera técnica.
Visualizar la energía en forma de luz

E sta técnica es muy similar a la de respiración, pero con ella podrás jugar con la energía que entra en tu cuerpo en forma de luz. Es muy simple.

Siéntate cómodamente o estírate donde mejor estés: el sofá, la cama, u otro lugar.

▶ Realiza un ciclo de cinco respiraciones completas, tranquilamente, sin prisas, y cuando te encuentres un poco relajado, respira de forma normal durante un par de minutos con los ojos cerrados.

▶ Empieza siendo de nuevo consciente de tu respiración, observando cómo entra el aire en tus pulmones y cómo sale. Cuando creas que estás preparado, simplemente convierte ese oxígeno que entra en tu cuerpo en energía brillante, en miles de partículas que entran por la nariz y se depositan en los pulmones.

▶ En cada inspiración, ve recorriendo todas las partes de tu cuerpo con ella, como hacíamos en la técnica de la respiración, pero esta vez por el interior de tu cuerpo. Crea una carretera interior para ese paso de la luz. Sigue respirando de manera normal, y sólo presta atención cuando necesites enviar luz a alguna parte de tu cuerpo:

Empieza por los pies. Haz llegar hasta allí todas las partículas de luz. Toda la energía se centra ahora en ellos; siente cómo los pies se nutren de esa luz, cómo se sienten mejor. Si te sentías cansado eso debe aliviarte. La energía ayudará a que esa parte de tu cuerpo vuelva a su estado normal.

Después, vuelve a llevar esa nueva energía depositada en tus pulmones hasta tus piernas, primero una y luego la otra; recórrelas con las partículas de luz subiendo y bajando lentamente por ellas.

Ahora pasa a la pelvis y a los órganos genitales. Siente cómo esa luz ilumina tu pelvis, cómo tus genitales están llenos de energía; recórrelos y te darás cuenta de que sin querer sientes un hormigueo extraño en el estómago. No te preocupes, es normal, ya que se trata de una zona extremadamente sensible, y si haces llegar allí esa energía lo sentirás. No obstante, si esto no ocurre no te preocupes; no estás haciendo nada mal, simplemente es que hay personas más sensibles que otras.

Sigue hacia el abdomen; recorre todo su interior con esa luz, lentamente; llena de energía tu aparato digestivo, tus riñones y todos los órganos que se encuentran en su interior.

Ilumina tus brazos y conduce la energía hasta las yemas de tus dedos y haz que regrese de nuevo hasta tus axilas.

Sube por el cuello hasta la cabeza, y siente toda esa luz en tu mente, entrando por todos los rincones y purificando todos los pensamientos que contenga, aunque no los veas.

Una vez termines con la cabeza, baja directamente de nuevo hasta el pecho y devuelve a su depósito toda la energía que has llevado a las diferentes partes de tu cuerpo. Una vez allí, respira con calma un par de minutos más y, por último, libera toda esa energía hacia el exterior de tu cuerpo. Obsérvate desde arriba y podrás verte rodeado de energía, como si tu aura fuera visible en ese momento, un aura limpia y sin fisuras.

¡Disfruta de ese instante!

▶ Cuando creas que estás completamente cargado, ve tomando consciencia del momento y lugar donde te encuentras, abre los ojos y sonríe.

Esta técnica, además de ser muy eficaz, es muy divertida. A mí personalmente me encanta recrearme en diferentes zonas. Es increíble el poder que tiene nuestra mente para hacer real cualquier cosa en la que pensemos; pruébalo, practícalo y lo comprobarás por ti mismo.

Cuarta técnica.
La cajita

Esta técnica es la que más me gusta, y con ella disfruto mucho, sobre todo porque la puedo practicar en cualquier lugar.

Recuerdo que, cuando estaba sentado frente al mar, siempre pensaba en las cosas o en los instantes que me habían permitido ser feliz en algún momento de mi vida. Intentaba que ese buen recuerdo venciera a la preocupación o al problema que invadía mi mente en aquel instante, y lo mejor de todo es que lo conseguía. Por ello, un día me dije: ¿por qué no construir en mi mente una cajita con muchísimos departamentos que contuviera todos aquellos recuerdos felices para convertirlos en los guardianes de mi mente? Dicho y hecho.

Me pasaba horas recordando todas aquellas cosas buenas que estaban dentro de mi mente, e intentaba clasificarlas: mis momentos de ocio, mis hijos, mi trabajo, mis padres, mi hermana, mi pareja; así, todo lo que podía ir recordando lo clasificaba y lo metía en su departamento, de forma que pudiera sentirlo vivo en todo momento.

El principio es muy simple. Imagínate que tienes un problema. Yo siempre digo que para buscar soluciones lo mejor es estar sereno, sobre todo porque la serenidad te ayuda a encontrar soluciones (siempre que el problema la tenga, claro está). Ese problema te martillea en la cabeza a cada momento, necesitas pensar en él pero te ofusca tanto que no encuentras la solución, así que precisas liberarte unos instantes de él, entonces… ¡Abre tu cajita! y busca el instante con el que creas que vas a disfrutar más. Puede ser de hace 15 años o de hace un día, el nacimiento de tu hijo o una cena con tu pareja la noche anterior, lo importante es que ese instante desate una sonrisa interior simplemente porque te hace estar bien. El siguiente paso consiste en enfrentar ese feliz momento al problema actual. Cuando lo hagas verás cómo la fuerza de ese instante de felicidad hace desaparecer el problema de tu mente; disfruta de ese instante de victoria recordando o reviviendo ese instante de felicidad tan intensamente como puedas. Mientras lo recuerdas, respira hondo varias veces y disfrútalo durante unos minutos.

Es muy simple. Tan sólo has valorado más esos instantes que el problema, ahora ya te sientes más tranquilo y puedes pensar en el problema e intentar encontrar una solución, y si vuelves a bloquearte, busca otro recuerdo en tu cajita, verás cómo al final podrás con él.

También esta técnica es muy útil cuando te sientes solo o melancólico. Recuerdo que cuando me separé y me tuve que ir a vivir con mi madre, en los momentos de mucha soledad o cuando no podía dormir por la noche recurría a mi cajita, y aunque no me sentía nervioso ni hacía falta que me relajara, me reconfortaba el simple hecho de rebuscar esos momentos de felicidad entre mis recuerdos.

Cuando empecé mi relación con mi actual pareja también me resultó de ayuda. El hecho de tener casi cincuenta años no hace que el enamoramiento se viva de diferente forma, así que los días en los que no podía verla porque yo tenía que estar en casa de mi madre o ella tenía que trabajar, considerando que nos separaban 60 kilómetros, siempre revivía aquellos instantes que nos hacían ser felices cuando estábamos juntos. Recuerdo que siempre le decía: «Este feliz momento, cariño, para mi cajita», y aunque ella al principio no lo entendía, finalmente también se creó la suya.

Créate tu propia cajita, introduce en ella todos los recuerdos buenos y ordénalos, para que siempre tengas a mano una forma rápida de relajarte. Empieza con unas respiraciones, y, cuando estés algo más tranquilo, ve en busca del recuerdo que quieras vivir y disfrútalo.

Relajación con tu pareja

A continuación, explicaré cómo realizamos mi pareja y yo nuestra propia técnica de relajación. Por lo general, la practicamos cuando disponemos de bastante tiempo y nos sentimos bien, aunque reconozco que no son tantas veces como quisiéramos.

Quizás la consideres muy «querer hacerlo perfecto» pero, si no la pruebas, nunca podrás opinar sobre este tipo de relajación.

De todas formas, y como he comentado a lo largo de todo el libro, la mejor manera de disfrutar y de que funcione es crearte tú mismo tu propia técnica.

Para ello, como comentaba, debe ser un día que os sintáis tranquilos y con tiempo. A mi pareja y a mí nos gusta adecuar nuestro espacio, encender unas velas, poner un incienso y un poco de música (sea la que sea); lo importante es que ese sonido os trasmita paz.

Luego nos damos un baño y nos ponemos ropa cómoda, encendemos nuestra fuente de agua y colocamos una alfombra en el suelo del salón; nos sentamos en la posición del loto, el uno frente al otro y nos damos las manos.

Los dos mantenemos los ojos cerrados, mientras iniciamos ciclos de respiración, sin prisas.

Nos adentramos en el interior de nuestra mente y visualizamos las dos ventanas que he comentado en la técnica de la respiración. Una vez vemos salir el ultimo de nuestros pensamientos, abrimos los ojos y nos miramos el uno al otro.

Cuando nos sentimos ya relajados, nos acariciamos las manos para indicarnos que ya estamos preparados y, en ese momento, y sin dejar de mirarnos a los ojos, recorremos el cuerpo de nuestra pareja mentalmente, centrándonos en la parte que más nos gusta de ella (no importa la que sea, no debemos ser pudorosos), y nos quedamos así unos minutos hasta que nuevamente uno de los dos acaricia la mano del otro.

En ese momento, volvemos a cerrar los ojos e imaginamos que una gran bola de luz nos envuelve a los dos mientras respiramos profundamente. Nos volvemos a acariciar las manos y llevamos esa bola de energía hasta nuestras manos, que ahora hemos unido entrelazando nuestros dedos.

Después de ese instante, separamos las manos, y yo las coloco sobre su pecho y ella sobre el mío, aportándonos la energía que hemos acumulado durante la relajación.

A continuación nos abrazamos y nos tumbamos en el sofá, disfrutando de la música, de los aromas y del hecho de permanecer en un estado de relajación óptima para lo que sea que venga posteriormente; podemos pasarnos horas disfrutando de esos momentos.

Como ves, es algo muy simple y que nosotros hemos adecuado a lo que nos hacía sentir bien; el final puede ser el que ambos queráis, no siempre debe terminar en «la cama», sino que también es importante sentirse bien o simplemente abrazarse mientras escucháis música. Os debe llenar y haceros sentir felices. ¡Otro instante para la cajita!

Como has visto a lo largo del libro, la base de todo es dejar de pensar en las preocupaciones, ya que hace que nos liberemos (momentáneamente) de nuestros problemas y que podamos disfrutar del momento y centrarnos en lo que vivimos en ese instante.

Esta técnica no tiene nada de mágico. En ese instante sólo dominamos nuestra mente y es eso lo que hace que disfrutemos al máximo de nuestra pareja y del feliz momento.

Conclusión y despedida

En este libro, hecho desde el corazón y basado en experiencias vividas, solamente he pretendido aportar mi vivencia. Si has leído todo el libro, advertirás que no dejo de repetir que nada es válido si no lo adecuas a tu persona. Cualquier técnica, por muy fantástica que sea para mí, tal vez para ti no lo sea, pero quizás te pueda ayudar a elaborar la tuya.

En ningún momento he querido infravalorar ningún sistema, simplemente he relatado, bajo mi vivencia, lo que a mí me ha sido de utilidad, y si en algún momento alguien cree que mi intención ha sido esa, le pido disculpas.

Lo único que puedo ofreceros es que podéis contar conmigo para lo que necesitéis. Podéis contactar conmigo en este correo electrónico: indalo12@gmail.com.

Gracias por leerme, que seas muy feliz

Acerca del autor

Juanjo Rojas

Es un autor novel que ha dedicado más de diez años de su vida al mundo de las terapias alternativas naturales. Entró en él de forma casual, después de haber sido director general en una compañía discográfica y tras ocupar diferentes altos cargos en empresas del sector y en productoras audiovisuales. Las responsabilidades que requerían los puestos que ocupó durante años, junto con problemas internos relacionados con ellos, le enseñaron a buscar y encontrar diferentes fórmulas de relajación y de gestión del estrés de una forma autodidacta, más tarde decidió plasmar esas fórmulas en el que es, hasta el momento su primer libro, dando con ello la oportunidad de conocer estas técnicas que servirán de ayuda a muchas personas.

Puedes conocer al autor y su obra a través del Blog: http://librotecnicasderelajacion.wordpress.com

Índice